王天擇著

文史哲出版社印行

自序

這本書是彙集我平時所寫幾篇文字而成，其中「中國統一建設促進會宣言」之所以編入，係因該會於七十六年籌備之初，曾蒙創始人黃雲樓將軍及該會現任理事長楊德壽國大代表之邀約，參與該會發起及宣言起草，是爲當時我對國家統一問題的基本認識，亦爲民間團體以超然立場對國家統一問題所提供的另一版本，可供參考。至於兩度上總統書及上郝院長國是建言之編入，旨在表明我對促進國家統一的心路歷程，並讓時間來考驗眞理。

我總認爲，「今天談統一，民間阻力很小，而是在考驗兩岸決策階層的智慧、眼光、胸襟、魄力」。根據聯合報七十九年十月上旬所作民意調查，台灣地區有六成三的人希望中國能夠統一，只有一成人希望台灣能夠獨立。

此一科學根據，當局必須重視，任何阻礙統一及拖延統一的措施，都有違背民意。

合則兩利，分則兩害。四十餘年來，兩岸軍事對峙，雙重政府，雙重國防，雙重外交，所損耗國力，浪費公帑，當以天文數字計，這些都是人民勒緊褲帶的血汗錢，而白白的用於內爭，多麼令人痛惜。今天要想建設中國為一個現代化的國家，必須以整體利益為著眼，將有限的人力物力發揮邊際效益，始能事半功倍。

當前論國家統一，兩岸當局各有版本，歧見仍深，僵局一時無法打開。在分裂國家中，我們的統一步調比較緩慢。人家能我們不能，任何解釋理由，都很牽強。現在，我所設想的國家統一，其結局是「共存共榮」，「只有贏家，沒有輸家」，讓兩岸當局對歷史都有所交代。誠望兩岸當局，能捐棄成見，把國家人民利益置於黨的利益及個人利益之上。察納雅言，諮諏善道，追求「至善境界」，使國家統一早日實現，以迎接廿一世紀的到來，使國家各方面都有長足的進步。

兩點之間最短的距離是直線，當前兩岸關係，及國家統一，應走康莊的直線大道。轉彎摸角，以曲線進行，曠費時日，極不正常。化解歧見的最好方法，就是高層互訪，面對面的溝通。並彼此以實際行動表示誠意。美蘇之間若無十餘年來的長期談判，及首腦間之熱線建立，也許電鈕一按，核子大戰早已爆發，給世界造成毀滅性的災禍，不會有今天的和平局面出現。大陸與台灣之間，既已開放通訊，高層之間爲何不能善加利用？彼此先通通電話，作禮貌上的懇談，進而相邀互訪，不是很好嗎？再者，異國之間尙能建立「熱線」，以便於緊急關頭，首腦間直接溝通，化解危機，而北平與台北之間，爲何不能建立熱線？或者說，問題沒有那樣嚴重，不必如此去做，但能建立起溝通管道總是好的。

「忠言逆耳利於行，良藥苦口利於病。」，我之所言，也許兩岸當局都不願聽，甚至認爲我在譜狂想曲。但我敢自信，只要你們能自問良心，驅除私念，心平氣和的照我所提供的曲調彈下去，一定會博得國人的共鳴。舉國上下共同起舞，必能在和諧的氣氛下，結束七十年來的國共鬥爭，突破國家統一僵局，開啓歷史新頁。國家幸甚！人民幸甚，決策者萬歲。

作者學植疏陋，亦無寫作準備，只是「國家興亡，匹夫有責」，憑著良知想到那裡，寫到那裡，不周之處，在所難免，尚祈識者敎之。

中華民國八十年六月一日　王天擇　於台北市

中國統一之路　目次

一、國家統一之道，要從根本解決……一
二、國家統一之道要從根本解決釋論……五
三、大時代的人物應對歷史負責……一七
四、喚醒兩岸當局之迷……二一
五、國共鬥爭的總結與展望……二七
六、國家統一的「阿兵定理」……四七

附錄

一、上蔣總統經國先生書……五一
二、上李總統登輝先生書……五七
三、上郝院長柏村先生國是建言……六三

四、中國統一建設促進會宣言……七一

國家統一之道要從根本解決

陶百川先生十月七日參加國家統一委員會第一次會議，提出訂頒「國家統一綱領」的構想，我舉雙手贊成，並提出我見以就教於陶先生及國人。關於國家統一問題，記得記者訪問錢穆大師，他曾表示可先把國號統一，其他可慢慢談，又孫資政運璿先生於行政院長任內曾答記者詢問表示，國家統一要從根本上解決，只談枝節於事無補，故本文的著眼點在於國家統一的根本問題，並舉條文如左：

㈠中國歷史文化向重國家大一統，不容疆域內任何地區分裂獨立。

㈡四十餘年來台海兩岸實行不同制度，其成敗得失已甚明顯，事實已肯定　孫中山先生的革命建國理想，若大陸能改用中華民國國號及國旗，先做到國家象徵性的統一，其他問題便易解決。

㈢統一必須兼顧雙邊利益，中共的最佳選擇是與毛澤東的暴政劃清界限，改組中國共產黨爲「中國社會民主黨」，以新黨新政，加速全面改革，開啓歷史新頁。

㈣武力對峙不合雙邊利益，也解決不了實際問題，若中共能明白宣示放棄對台用武，則我們相對的縮減國防預算，並以之用於援助大陸及加强台灣經濟建設，增進兩岸人民福祉。

㈤國家的共同利益，在於早日統一，以台灣較佳的人力素質、寶貴的經貿經驗、充裕的資金條件，結合大陸的廉價勞力及豐富的天然資源，積極發展工商業，加强經濟建設，提高國民所得，改善人民生活，使國家各方面走上現代化。

㈥今天是多元化的社會，一黨獨大、排除異己，事實上辦不到，我們應共同接受政黨惡鬥誤國害民的歷史教訓，開誠佈公合作，良性競爭，共同締造自由民主富强康樂的新中國。

㈦國家統一必須基於一部憲法，我們希望即由大陸台灣及國外具權威地位之學者專家，共同組成憲法小組，以超黨派立場起草新憲法，俟草案時機成熟，舉行各黨派、學者、社會賢達政治協商，達成協議後即進入民主立憲程序，於通過後付諸實施，達成國家統一，長治久安。

㈧所謂「一國兩制」、「邦聯」、「台灣自決」等等構想都應從落實省、縣、市地方自治，尋求合理解決。在土地政策方面暫維持大陸國有台灣香港私有的現狀順其自然發展，將來再作取捨，或併行不悖。

㈨專制政治必趨腐敗，不合民意。民主政治合於民意，但其弊在於選舉易造成社會動亂，金權掛帥，貧者無以問政，乃至議會議事效率低落影響國家施政。其改進之道：可由人民根據各政黨之政綱，先選出執政黨，再由執政黨人員選出總統、副總統、立法委員。監察委員則由在野黨依比例選出，另立法院設諮詢議席，由在野黨依比例選出，有發言權，而無表決權，以使權責分明，有民主政治之實，而無民主政治之弊。

㈩基於學術獨立，百年樹人之觀點，兩岸教育主管機構應立即開始接觸，研議先將兩岸教育制度及中小學教科書統一。

(十一)兩岸應相對開放黨禁、報禁，在立法院修法緩不濟急的情形下，應考慮立法授權，使行政部門有所裁量。以保障人民言論、結社自由，爲民主政治舖路。

(十二)以上各條，若中共能善意回應，則兩岸中介機構可提升爲官方性質，於香港合署辦公，俾連繫靈活，提高效率。

總之，今天談統一，民間阻力很小，而是在考驗兩岸決策階層的智慧、眼光、胸襟、魄力。若都能本「良制」淘汰「劣制」的對事態度，及　孫中山先生大公無私的精神，則中國統一立可邁步向前，馬到成功。

本文刊於中華民國七十九年十月二十九日聯合報第三版

國家統一之道，要從根本解決釋論

拙作原文刊於七十九年十月二十九日聯合報，共列舉國家統一綱領十二條，希望統一能有明確指標，具體架構，不要徒喊口號，僵持等待。爲使原文涵義更明確，並彰顯可行性，俾利統一早日實現，爰逐條釋論：

㈠「中國歷史文化向重國家大一統，不容疆域內任何地區分裂獨立。」——綜觀歷史，我國是趨向「合和統一」，非如西方之「分裂獨立」。惟因我國幅員廣大，地區狀況之差異不容忽視，應落實地方自治以求因地制宜，使具單一國之名而有聯邦制之實。

㈡四十餘年來台海兩岸實行不同制度，其成敗得失，已甚明顯，事實已肯定　孫中山先生的革命建國理想。若大陸能改用中華民國國號及國旗，先做到國家象徵性的統一，其他問題便易解決。」——就現實利益言：中共能做到此點，將使國家統一邁出一大步。立即受到兩岸人民的認同，聯合國的常任理事席與創始國相符。國際社會得道多助。華僑社會認同祖國。台灣自然爲一省，國民黨的大陸政策自會相對調整，兩岸各項交流由民間到官方，由間接到直接，一切的一切都會有契機出現，展現出國家統一光明的前景。

㈢「統一必須兼顧雙邊利益，中共的最佳選擇是與毛澤東的暴政劃清界限，改組中國共產黨爲「中國社會民主黨」，以新黨新政加速全面改革，開啓歷史新頁。」——知錯必改革乃聖賢之道。毛澤東的暴政，慘絕人寰，世人記憶猶新，形象太壞。今天中共推動改革，首應正名，與以往劃清界限，以新黨新政，收攬民心。憑政績與國民黨一爭長短。期使我國形成兩大民主政黨，良性運作，國家幸甚。否則，試觀今日世界民主國家中無一共產黨能競選獲勝者。爲何不拋棄中共邪惡的歷史包袱，從頭開始？

㈣「武力對峙不合雙邊利益，也解決不了實際問題，若中共明白宣示放棄對台用武，則我們相對的縮減國防預算，並以之用於援助大陸及加强台灣經濟建設、增進兩岸人民福祉。」——目前台灣每年國防預算近三千億，主要用於防衛來自對岸的軍事威脅，一旦達成和平，台灣安全無虞，便可節省一大筆預算，作有利國計民生之運用，那該多好。平心而論，中共所假設的對台用武條件，事實上不會成立，因爲台灣是法治社會，任何非法活動都會繩之以法，同時行政院長郝柏村先生曾鄭重聲明國軍絕不支持台獨。台獨根本造不了反。誠然，伊拉克閃電入侵科威特可給台灣警惕。而伊拉克所嚐苦果又何嘗不給中共警惕。若中共包藏禍心，企圖以武力統一，必將再次鑄成歷史大錯。即令軍事得逞，而台灣的經濟繁榮必一落千丈，並波及香港，使中共再度陷入國際孤立，導致經濟崩潰，加速政權垮台。所以爲了全局，免於同胞相殘，浪費國家資源，還是以和爲當務之急。至於經援大陸問題，請台灣同胞認清，只有大陸同胞生活改善，才有更多力量購買台灣的工業產品，增進雙邊貿易，其利益是互補的。

(五)「國家的共同利益，在於早日統一，以台灣較佳的人力素質，寶貴的經貿經驗，充裕的資金條件，結合大陸的廉價勞力及豐富的天然資源，積極發展工商業，加速經濟建設，提高國民所得，改善人民生活，使國家各方面走上現代化。」——台灣同胞不必懼怕統一，因爲台灣同胞的知識水準高，資金條件好，競爭力自比大陸同胞强，一旦統一，經濟活動空間擴大，創業發展機會增加，不至於影響生活。預期潮流所趨，形勢所逼，中共爲求生存，只有開放一途，無法開倒車回到清算鬥爭的老路。

就國家整體利益言，若從現在統一，結合大陸及台灣力量積極努力，預期二十年後國家將走上現代化，成爲世界超强。不然我們的大陸政策處處設限，讓日、韓、新加坡等各國的經濟勢力搶先進入大陸，則我民族工商業包括台灣必受打擊或控制。二十年後他們在華的經濟勢力必根深蒂固，眼睜睜的肥水落入別人田，無法談經濟平等，等於淪爲殖民地，那時再談統一豈不爲時太晚，不易翻身。

㈥「今天是多元化的社會，一黨獨大，排除異己，事實上辦不到。我們應共同接受政黨惡鬥誤國害民的歷史教訓，開誠佈公合作，良性競爭，共同締造自由民主富强康樂的新中國。」——各黨合作，良性競爭的基礎，必須秉持我立國精神及憲法，於大同中求政綱之小異，絕不能罔顧大同各走極端，不擇手段的惡鬥，以誤國害民。往者已矣，來者可追。中共必須認清，馬列主義破產，世界各國共產黨已是窮途末路。應即迎頭趕上時代，改組爲普通民主政黨，以選舉問政，才是國家之幸，人民之福。民進黨必須認清，台獨是條行不通的路，也是自掘墳墓，斷喪政治生命之路。滋事鬧事，議壇失態，造成社會混亂，工商投資意願低落乃至紛紛出走，影響國計民生莫此爲甚。執政黨必須體認， 孫中山先生自始就有容共政策，希望「和平奮鬥救中國」。也希望培植健全的反對黨，只要體制健全，走上民主法治，何黨執政則應聽憑人民的選擇，成功不必在我。

㈦「國家統一必須基於一部憲法，我們希望即由大陸、台灣、香港及國外具權威地位之學者專家，共同組成憲法小組，以超黨派立場起草新憲法，俟草案時機成熟，舉行各黨派、學者、社會賢達政治協商，達成協議後即進入民主立憲程序，於通過後付諸實施，達成國家統一，長治久安。」——中華民國現行憲法係經政治協商會議（中共有參加）於民國三十五年十二月二十五日國民大會制定，三十六年一月一日國民政府公布同年十二月二十五日施行，但中共並不遵守，以武裝叛亂，竊據大陸，形成今日各有憲法，眞僞之辯無補實際，如何面對現實解決問題，謀求國家統一才是重要課題。寄望兩岸決策階層均捐棄成見，相信學者專家意見，從頭開始。

在新憲法尚未產生前之過渡期間，兩岸都回歸於現行「中華民國憲法」。台灣於廢除動員戡亂時期臨時條款後另謀暫行補救措施。大陸則實行政治體制改革，使黨政分離，先建立五院制之中央政府。其暫行措施請照本文第九條試行。即由執政黨（共產黨或改組後之社會民主黨）產生總統、副總統、立法委員，而由其他各黨（包括台灣）比例選出立法委員諮詢席及監察委員。司法院、考試院均依憲法組成。行政院之政務委員不妨多設，並羅致其他各黨優秀人才參與，使略具聯合政府形式，利於高層溝通，及消除未來體制統一之障礙。

(八)「所謂「一國兩制」、「邦聯」、「台灣自決」等等構想都應從落實省、縣、市地方自治，尋求合理解決。在土地政策方面暫維持大陸國有、台灣香港私有的現狀，順其自然發展，將來再作取捨，或併行不悖。」——依據本文第一二條我們應採單一國，並用中華民國國號及國旗，其他可融之於地方自治。至於土地問題，依據閻錫山先生的說法， 孫中山先生「耕者有其田」政策要實行得好，須土地國有，將「所有權」與「使用權」分開，故大陸現行土地政策公有私用與此義相吻合，所以此點可暫維持「一國兩制」，將來再作定奪。

(九)「專制政治必趨腐敗，不合民意。民主政治合於民意，但其弊選舉時易造成社會動亂，金權掛帥，貧者無以問政，乃至議事效率低落，影響國家施政。其改進之道：可由人民根據政黨之政綱，先選出執政黨，再由執政黨人員選出總統、副總統、立法委員。監察委員則由在野黨比例選出。另立法院設諮詢議席，由在野黨比例選出，有發言權而無表決權，以使權責分明，有民主政治之實，而無民主政治之弊。」——本條所述民主政治改進之道，是一種新的構想，其優點：

1. 選舉方式簡單易行，對事不對人，擇事易，擇人難。
2. 權能區分，人民有權，政府有能。
3. 責任分明，不受在野黨杯葛干擾。
4. 使黨員與黨之政治生命結爲一體，必須愛黨、愛國、愛民、創造優良政績。
5. 選舉時易於運用電視傳播媒體，由「名嘴」演講，就事論事，不涉人身攻擊，提高人民政治興趣與認識。
6. 金權不易介入，貧者同樣有機會當選問政。

7.監察委員由在野黨選出易發揮匡正糾舉功能。

8.執政黨選舉簡單，對表現不佳者可隨時更換。

9.政權由人民直接行使，國民大會可取消。

10.無黨籍人士可列舉政綱，以所謂第三黨參選，同樣有問政機會。

(十)「基於學術獨立，百年樹人之觀點，兩岸教育主管機構應即開始接觸，研議先將兩岸教育制度及中小學教科書統一。」——談統一不必含混攏統，可擇其易者先行，能突破一點，便不愁其他。在學術獨立，不受政治污染的大前提下，兩岸教育主管機構應可接觸，就現行教育制度及課本研議改進，使符合國際進步水準。能統一者盡可能統一，以愛護民族幼苗培植優秀的下一代。

(土)「兩岸相對開放黨禁報禁，在立法院修法緩不濟急的情形下，應考慮立法授權，使行政部門有所裁量。以保障人民言論結社自由，為民主政治舖路。」——此點最具挑戰性，原則自應開放，但其申請必須官方核准，首須排除法令障礙。目前對限制大陸共產黨員來台及記者來台採訪應及早解除，以示對等。

㈢「以上各條，若中共能善意回應，則兩岸中介機構可提升為官方性質，於香港合署辦公，俾連繫靈活，提高效率。」——以上各條是兼顧雙邊及國家整體利益，解鈴還須繫鈴人，若中共能採取步驟照辦，則國家之統一立現曙光，一切會大突破。證明中共大老及決策階層能順應潮流及輿情而大轉變，使中共自我新生，自我成功。而國民黨所堅持的建國理想也告實現，可以光榮的回到大陸。如此，只有贏家，沒有輸家，豈不皆大歡喜，何樂而不為。

若中共能善意回應，我認為兩岸中介機構應即提升為官方性質於香港或大陸合署辦公，對經貿、文化等各項交流及實質問題可面對面的商討，迅速解決。其層次可先由司長級開始，再視情形發展逐步提升為次長級、部長級、院長級的對談。讓我國繼德國後成為第二個由分裂而統一的國家。

最後要强調我不敢苟同兩岸差距太遠，統一步調不易太快的說法。事在人為，人定勝天，這一代能解決的問題最好不要拖到下一代。因爲現在正是歷史的關鍵時刻，兩岸人民正在期待決策階層的明智抉擇。何去？何從？遺臭萬年？留芳萬世？全在一念之間，歲月催人，當政者愼思明辨之。

中華民國七十九年十一月十二日

大時代的人物應對歷史負責

——論終止動員戡亂時期後中共的定位問題

總統府發言人邱進益三月七日表示， 李總統登輝先生在今年五月宣告終止動員戡亂時期後，有關中共的定位問題，根據國家統一委員會幕僚的研究，須視中共有無善意的回應，採階段、彈性對等三原則來處理，以保有我們足以迴旋的空間。即對中共可分爲叛亂團體、交戰團體、中共當局、中共政權或北京政權，一直到另一個政府等不同的定位。

對中共的定位問題，絕不像以上所說的那樣簡單。在觀念上必須將黨的定位與國家定位或政權定位區分清楚，二者不能混爲一談。依民主理念，國家或政權之定位主權在民，非任何個人或黨派所能私相授受。如果說中共承認我們是中華民國政府，我們也相對的承認中華人民共和國政府，那豈不是地盤割據思想，在製造國家分裂，還談什麼統一，復置眞理正義於何地？

有關中國共產黨的定位問題很簡單，只要中共放棄武力對台，不以武力爲政爭的工具，而承認各黨合作，公平競爭，我們便應化敵爲友，認定中共本質上在變，可納爲合法政黨，立即伸出合作之手，坐下來談談，共商建國大計，一切就事論事，不抱任何成見，把國家人民利益置於至上，有何歧見或問題不可解決。

有關國家或政權的定位問題，很明顯的現在國家尙處於分裂狀態，事實上大陸的中華人民共和國，不等於整個中國，台灣的中華民國也不等於整個中國，兩岸的政權均不能完全代表中國，未來國家或政權如何定位，必須考慮左列因素：

㈠**歷史發展**：孫中山先生領導辛亥革命推翻滿淸專制，創建中華民國，其生命延續至今，建國精神理想未變。毛澤東領導共產革命，創建中華人民共和國，其生命雖延續至今，但建國精神理想幻滅。兩者相較應肯定前者，而否定後者，因爲前者可承先啓後，使我國歷史循正統發展。後者無法承先啓後，只有走改革路線，預期在自由、民主大潮流的衝擊下，終必殊途同歸。

在歷史傳承上，萬一中華民國國號丟掉，做爲中國國民黨領導階層諸公首應跳海自殺或到南京中山陵絕食而死，以爲我中華民族保存浩然正氣。換言之，如無此種決心與正義感以捍衛優良傳統便不配爲國民黨領導階層，更無以對歷史負責。至於中共領導階層，既倡導紀念辛亥革命，且現在走經濟改革路線，標榜有特色的社會主義，試問此與民生主義有何不同？其目的不都是一樣的在爲救國救民嗎？何不乾脆改用中華民國國號，消除國家統一的最大障礙，使國家統一邁步向前，讓共黨大老們在有生之年看到國家統一，改寫中共歷史，以對歷史交代。否則世人都很清楚，今天兩岸分裂局面的形成，其罪魁禍首是中共，能不對歷史負責嗎？

㈡民主憲政：要使國家統一，長治久安，武力解決不了問題，必循民主憲政之路運作，迨無疑問。也惟有實施憲政，還政於民，透過人民的選票，才能產生中央政府，區分執政黨或在野黨。在此之前，都是地位未定。若說大陸地盤大，應爲中央政府，台灣地盤小應爲地方政府，那是軍閥思想，不合民主理念與潮流。

「一言興邦」、「一言喪邦」，對國家統一，我們必須有「明見」、「定見」、及「遠見」，「有所爲」、「有所不爲」，「有所變」、「有所不變」，一切應操之在我，不能看中共的臉色及回應行事，更不能遷就黨外的抗爭與謬論，因爲歷史責任要執政黨去承擔。

中華民國八十年二月九日

喚醒當局之迷

諺云：「當局者迷，旁觀者清」。今天，兩岸當局雖都宣示：中國只有一個，希望國家走上統一。但問題的癥結，仍各有黨見，各持立場，歧見未能化解，阻礙重重。國家統一的前景，依然模糊，令國人感到悵惘不安。爲打開這個死結，首須化解敵意，謀求共存共榮。除以上各篇已提供了一些具體的建議外，我想以大師級的學者錢穆與胡適的話來作指引，比較客觀：

一、錢穆說：「先把國號統一，其他可慢慢談。」」，這話一針見血，非常高明。目前兩岸當局所提國家統一版本，均未標示國家究竟應統一在何種國號與國旗下，致使統一的大前提混淆不清。當年張學良少帥，基於國家民族大義，東北易幟之舉，轟動一時，將永垂青史。今日，不談統一則已，要談，當然要先解決國號國旗問題，大陸地盤雖大，但不幸人民的生活水準居世界末段，證明共產革命不成功。自應回頭肯定　孫中山先生的辛亥革命，以其所創建的國號爲國號，國旗爲國旗。至於國歌，如要修正，可以禮運大同篇取代。這是大義，不是偏見。惟有如此，兩岸當政者對歷史才有交代。國家統一的疑慮與障礙才能自然消除，一切問題當迎刃而解。所謂：「一中一台」、「一國兩府」、「一國兩區」、「彈性外交」等問題都不復存在。這一點不必談判，希望大陸主動解決。

國號統一後，中央政府不能鬧雙胞胎，必須採取步驟改組：

㈠過渡時期：先組織臨時聯合政府，由兩岸執政黨聯合主導，容納各黨派才俊之士及社會賢達參與國事，共商國家大計，大陸時期的國民參政會可資借鏡。在此時期之施政重點，應强化省縣市自治，以發揮地方特性，減少中央干預，具單一國之名，而有聯邦制之實，消除某些地區製造分裂獨立之藉口，奠立推行民主憲政之堅實基礎。

㈡憲政時期：俟省縣市推行自治有成，民主法治基礎奠立，即循民主立憲途徑，達成民主憲政之治，以使國家長治久安。

二、胡適說：「多研究些問題，少談些主義。」，誠爲國家統一的公正大道。客觀而言，台灣實行三民主義有若干偏差，必須改革。大陸實行共產主義失敗，更須改革，誰都不必老王賣瓜自賣自誇。而應面對現實，虛心檢討，知病知恥，將好的留下，壞的丟掉。凡事應講求科學方法，實事求是，精益求精，日新又新，止於至善。亦即要站在時代的尖端，把國家大政推展到「至善境界」。在藝術領域裡，抽象與寫意畫很佔地位，有者價值連城。那麼在政治上也要講求藝術。若談主義，必將各說各話，僵持不下，若能捐棄成見，彼此以推動改革，追求「至善境界」相期許，當可化解歧見，達成共識。

治國之道，千頭萬緒，非一主義一學說所能概括。古今中外的大政治家，與其說他的主義好，不如說他的境界好、境界高，如美國總統林肯的「民有、民治、民享」，羅斯福的「新政」，甘迺迪的「新境界」，詹森的「大社會」。我國孔子的「禮運大同」。孫中山先生的「民族、民權、民生。」「天下為公」，蔣中正先生於民主科學外強調「倫理」、「力行哲學」及提倡「新生活」。鄧小平先生提倡「改革」、「實踐是檢驗眞理唯一的標準」等，他們所提境界的共同點，都是為國為民，沒有資本主義、三民主義、社會主義之分。至於輿論上有所爭議的鄧小平先生，在我親身的經歷中，我家在毛澤東時代被列為地主階級，清算鬥爭，掃地出門，打為黑五類，過著人間地獄的生活，有的親人被餓死，其慘無比。迨鄧小平先生復出推行改革，廢除人民公社，配地自耕後，我家親人才摘去黑五類的帽子，生活改善了很多，衣食住的問題大致解決，我內心裡當然痛恨毛澤東，而感謝鄧小平先生，如果我們要邀請大陸高層來訪，我希望把鄧小平先生列為第一人。同時我也不敢苟同，中國改革成功的希望寄託於下一代的說法，而希望主張改革的中共大老們，多活幾年，繼續發揮影響力，讓中國改革及統一早日成功。

談改革，不能脫離現實，應在現有的基礎上求改革，否則大躍進或遽變，往往會造成天下大亂，欲速則不達。國民黨必須警覺到，當前台灣在政治、經濟、社會、文化等各方面所面臨的問題，相當複雜，極爲嚴重，改革之困難程度不亞於大陸。必須整合黨內黨外，團結民心，鼓舞士氣，穩住陣腳，拿出大決心，大魄力來推動改革，惟有提出優異的成績單，才能迎接中共的挑戰，才能立於不敗之地。中共當局也必須警覺到，以武力鎭壓的手段來維持政權是靠不住的，必須順應潮流，開放再開放，改革再改革，取台灣之長，而去大陸之短，努力將人民的生產力與生活水準提高，以擺脫貧窮落後。即以你們所推重的唯物哲學而言，經濟爲基層建築，經濟在變，政治、法律等上層建築也應隨之而變，方能使國家眞正走上現代化。

中華民國八十年五月四日

國共鬥爭的總結與展望

一部中華民國史，國共鬥爭幾乎佔了一大半，其詳細經過及得失，自有待歷史學家去整理，此處只就促進國家統一的觀點，略加探討：

一、貧窮落後是共產黨發展的溫床，辛亥革命，中華民國誕生後，內憂外患頻仍，民生凋敝，自然予共產黨發展機會，所以自民國十年中共組織形成後，紅禍即隨著馬列主義的風靡而蔓延，國民黨很難招架。

二、國父孫中山先生時代，曾有「容共」政策，希望「和平奮鬥救中國」。抗戰期間，一度國共合作，但中共的策略是「七分發展，二分應付，一分抗日」。抗戰勝利後，曾舉行過政治協商會議，同時國民參政會都有容納共產黨人參加，希望共商建國大計，國民黨的作風相當開明，並非獨裁。但中共窮兵黷武，始終相信槍桿子出政權，以製造暴亂、滲透、分化、武裝鬥爭為手段，達到奪權的目的，與西方先進國家的共產黨，用溫和手段，走議會路線迥然不同。故導致中國內戰，實在是國家人民的大不幸。

三、國共鬥爭本質上是思想制度之爭，武力根本解決不了問題，從前，當國民黨武力強大時，未能以武力消滅共產黨，今天，共產黨武力強大，也休想以武力消滅國民黨。在先進民主國家，軍隊是國家化，絕不以武力為政爭工具。這一點兩岸當局都應有所反省，嚴格制約。

四、毛澤東時代，中共製造階級仇恨，清算鬥爭，破壞倫理，骨肉相殘；實行人民公社，奴役人民；以及文化大革命，紅衛兵造反等等暴政，造成空前浩劫，使大陸一窮二白，民不聊生。註定共產革命已徹底失敗，眞正的共產王朝，可說已隨毛澤東的死亡而宣告結束。

五、鄧小平先生復出，提出「實踐是檢驗眞理唯一的標準」，「經濟學台灣」，走改革路線，廢除公社，配地私耕，准許個體戶存在，導引市場機能，使大陸人民生活有所改善，延續了中共政權的生命，緩和了台海情勢，這顯然與毛澤東時代的暴政不同。只可惜在他掌權時，未能洞察大勢所趨，把握機會，澈底丟掉共產黨的邪惡包袱，脫去馬列主義的臭汗衫，登高一呼，改組中國共產黨爲「社會民主黨」，改國號爲「中華民國」，先回歸到中華民國憲法，再慢慢的循序改革。如果這樣，他在中國歷史上，便會與 國父孫中山先生、先總統 蔣中正先生一樣的功德無量，永垂不朽。不過事情尚未蓋棺論定，鄧小平先生若能繼續發揮影響力，讓中共領導階層，接受這種識時務的作法，以改寫中共的邪惡歷史，那中國的統一便是一夜之間的事。無論如何鄧小平先生的復出，推動改革，使中共有所質變，給國家和平統一帶來了希望。若當時我總統經國先生健康情形良好，以其政治威望，與鄧小平先生握手談談，也許容易談出結果，使國家統一大業有所突破。因爲那時台灣的政經情形穩定，經國先生當年在上海打虎的精神及其從政以來的輝煌政績，大陸人民都曉得，頗具號召力，會給大陸造成震撼！

六、四十餘年來，國民黨在台灣的施政，創造了經濟奇蹟，國民所得高於大陸二十幾倍，人民生活比歷史上任何時期都富裕，令大陸人民羨慕不已。可肯定的講，國民黨雖丟掉了大陸，但沒失去大陸民心；共產黨雖得到了大陸，但並未得到大陸民心。得民者昌，失民者亡，在反共鬥爭中無疑的國民黨是贏家。共產黨已被打入敗部，要想敗部復活，惟有順應自由民主潮流，脫胎換骨，澈底改革。不要老是與國民黨比地盤大小，在既得特權上打圈子。

七、當茲世界共產黨紛紛垮台，國民黨在反共鬥爭中又是贏家，我政府理應以高姿態出現，對國家統一大業有所作爲才是。但不幸的國民黨領導階層仍患有嚴重的「恐共症」，缺乏　國父孫中山先生冒險北上與袁世凱當面溝通、先總統　蔣中正先生冒險到雲南與盧漢當面溝通的大無畏精神，遲遲未提出具有號召力與突破性的國家統一方案。本來高層互訪，是溝通與化解歧見的最好方法，但我們的國統綱領却要看中共的回應行事，列爲第二階段進行，不知邏輯何在？殊不知東西德、南北韓的高層互訪，其效果是正面的，而不是負面的，再說，統一要尊重台灣二千萬人民的意願，那台灣人民對統一的意願究竟如何？不能單憑國統會總統指定那幾個人來下結論。而是要用科學辦法切實測知。同時做為一個中華民國政府，能置大陸十餘億人民的意願於不顧嗎？前面說過國民黨雖丟掉大陸，但未失掉大陸民心，難道我們要以偏狹的觀念，自絕於大陸人民嗎？

八、國父孫中山先生，領導革命，向以「天下爲公」救國救民爲職志，並勉勵青年要立志做大事而不要做大官，根本沒把個人權位放在眼裡，其甘願讓臨時大總統予袁世凱，便是一例。一個政黨的生存發展，一方面要有良好的政綱政策，一方面要有廣大的群眾基礎。這兩個條件，國民黨比其他任何政黨都好，不必怕統一後政權丟掉，而應爭取空間，擴大組織，發展組織，只要群眾基礎好，即令今天退居爲在野黨，明天還會東山再起。現在，我們既強調台灣經驗擴展大陸，那我們就很明白的和中共講，今天國民黨所爭的是理，而不是官。若中共能廣泛吸收台灣經驗，建立良好制度，那國民黨未必參加競逐官位，可讓中共贊成改革的幾位頭號人物出來選總統。反之中共若不從加速改革，建立良好制度著眼，只想以大欺小讓國民黨屈從，那是辦不到的。同時比地盤大小，以區別中央與地方的觀念，並不適合中國政情，中共昧於現勢，老是想一黨專政，漠視他黨的存在，想騎在人民頭上的觀念，實在落伍，實在不聰明。老實說，人民的眼光是雪亮的，兩岸決策當局，是否為特權所蔽，老是在枝節問題上做文章，阻碍了統一的進展，人民都看得很清楚，請各自好好檢討，不要存一念之私。

九、論法統，無疑的，因為共產革命失敗，應以　國父孫中山先生的法統為法統，這一點相信全中國的人民都會認同。即鄧小平先生亦在天安門廣場　國父塑像上題曰：「偉大的革命先行者，中山先生永垂不朽」。這分明是說，後行者應追隨中山先生的建國理想前進。不然以毛澤東的法統為法統，誰能心服。國民黨難以接受，只有僵持下去。再說中共的頭號人物周恩來先生，臨終前選擇了水葬，可想像者，當時他的心境是何等痛苦，他有自知之明，知道生前幫助毛澤東作打手，未能實現個人救國救民的抱負，無法對歷史交代，還是無影無踪的在大海中消逝爲好，不值得後世紀念。

先總統　蔣中正先生說：「亡共在共」，今天我要說：「救共在共」。中共必須正視，馬列主義破產，世界各國共產政權紛紛垮台或改組的事實。究其原因，是共產國家普遍鬧窮，制度上不合人性的問題。所以中共自救之道，最好是澈底鞭毛，驅散他的陰魂，尊奉　國父孫中山先生的建國體制與理想，努力好好改革。如此改邪歸正，自然取代正統。屆時即可通知台灣的中華民國政府，馬上遷到北京，大家坐下來，仔細商量中央政府改組的細節，使國家走上統一。

十、一個國家的興盛，必須團結民心，鼓舞士氣，群策群力，共赴事功。要做到這一點，必須靠偉大政治家的號召與領導群倫。在中國，後　國父孫中山先生與先總統　蔣中正先生，在人民心目中尚未發現一位萬民所歸的政治人物。目前包括大陸、台灣，國內、國外，在朝、在野關心國家前途的有識之士很多，但沒有一人能提出一套完整的治國藍圖。換言之，我國目前尚未產生一位政治人物，德高望重，才識卓越，足以領導群倫，所以大陸及台灣都顯得有些亂象，民心渙散。

在藝術上，有人說五百年一「大千」，在政治上我們不能期待偉大政治人物的產生再治國，故必須發揮集體領導功能，這一點，就目前情況而論，我認爲共產黨做的比國民黨好。

就國家統一而論，目前國共兩黨各說各話，你不服我，我不服你，一直在僵持，無法突破。在此種情形下，我認爲必須拿出一張「王牌」才行。老實說，目前兩岸當政者，無一人稱得上是「王牌」。那麼誰是「王牌」呢？肯定的講，就是　國父孫中山先生。

就歷史眼光而論，千錯、萬錯，惟有　國父孫中山先生沒有錯，他的人格偉大完美，他的政治理想崇高，合於國情及世界潮流。我認爲他是一張打不倒的王牌。國民黨不爭氣，要出賣他，或許可能。但共產黨要打倒他事實上是不可能的，所以共產黨領導階層，總算不糊塗，每年都隆重的紀念辛亥革命，比起台灣之紀念並不遜色。而國民黨的領導階層却很糊塗，居然在國統綱領中，不具體的肯定　國父孫中山先生的辛亥革命，打他的「王牌」來統一，那豈不是敗筆。將來兩岸交流的結果，到頭來把國家統一於毛澤東所建立政權的法統上，那不是道道地地的賣國，能對歷史交代嗎？

十一、國家統一的「法統」及「王牌」問題，有了共識後，其他便是不成問題的問題了。除我在以上各文中已提出了一些看法外，現在要討論統一的是步驟問題，很多人認爲，要「先談交流」，等兩岸之政經社會情形接近時「再談統一」，我則認爲要「先求統一」，「後求改革」。辦什麼事都要講求效率，國家統一也不例外。如果說等兩岸情形相接近，再談統一，那要等到那一年？那一月？而且兩岸情形究竟能否接近？還是未知數。不如「先求統一」，「再求改革」，容易集中人力物力，做整體規畫，發揮最大效益。

中共批評國民黨的統一政策處處設限，阻碍了統一的發展，不無道理，但試問，中共所提「一國兩制」，又何嘗不是預為設限。的確兩岸當局的各自設限，窒碍了國家統一的發展。白白的磋砣歲月，影響整個國計民主。

依邏輯，意見往往有其一，必有其二，有其二必有其三，三則復歸於一。現在，中共說中共有理，國民黨說國民黨有理，民進黨則說民進黨的台獨主張有理，如果各自堅持，永遠解決不了問題，甚至會動拳頭與武力，打得兩敗俱傷，人民遭殃。我們必須冷靜的分析，對方講的究竟有無道理，有則馬上採取，不要為反對而反對，先天上排斥異己。冷靜客觀的分析：中共所提「一國兩制」，就是先承認現狀，再求改革，有了經濟改革，便不愁無政治改革。這與我實施地方自治的概念，是可調和的，不必去排斥。民進黨主張台獨人士，由來日久，其遠因也有些恐共心理，當他們看到越南為北越侵佔後的海上難民潮，觸目驚心，怎能不怕共產黨打過來？能獨立不是很好嗎？現在中共所提一國兩制，對台灣民心已有了些安定作用，假定香港九七大限後，其經濟繁榮情形能維持如故，證明中共所提「一國兩制」實行得好，那台獨人士的恐共心理病，便會不藥而癒。又我政府加緊實施地方自治，省市長開放民選，那台獨人士所主張的「台灣人民自決」，不是已達到目的了嗎？至於說要建立「台灣共和國」，那只是說說而已，如有些人士執迷不悟，採取行動，必法網難逃，不需共產黨來武力解決。中共最好明確宣示放棄對台用武。

至於談「改革」，我已在「喚醒當局之迷」一文說過了，茲不贅述。

十二、天下之事，往往利弊互見，利弊得失之間，是要靠智慧經驗去作取捨。目前國民黨所喊的以「自由、民主、均富」統一中國，中共所喊的建設「有特色的社會主義國家」，聽起來都不錯，但是沒有一個人曉得其內涵如何？方法爲何？步驟爲何？這樣在上者只喊口號，不動大腦，怎能把事情做好。

目前國民黨領導階層有博士學位的人很多，素質比中共好。但是却未見一人發救國救民之憂思，寫本書將「自由、民主、均富」作進一步的論述，只是說到那裡，丟到那裡，走到那裡，算到那裡，有目標，豈不等於無目標？

以「自由、民主、均富」統一中國原則是正確的，但是要把這三個項目實行好，却非常不容易。現在由於這三個項目在台灣都發生了毛病，一時無法實行得好，反而使中共把統一的姿態擺高，硬是要把我們貶爲地方政府。我們反擊的最好方法，就是把「自由、民主、均富」實行好，樹立良好榜樣，才能使中共繼經濟學台灣後而政治學台北。不過話又說回來，中共也可不學台北，而自動自發的實行「自由、民主、均富」。若從現時起跑，中共不一定跑的比我們慢，經過一段競賽時間後，很可能中共的成績是冠軍，我們反而成了亞軍。

記得諾貝爾經濟學得主海耶克鑑於經濟理論的變動很快，有時非預期所及。故他很早即預期將來共產國家或許會變得更自由民主。現在，看了蘇聯民選總統的情形，便知海耶克的話可能言中。焉知明日的蘇聯，不比今日的美國更好？

在國父孫中山先生的著述中，對「自由、民主、均富」曾煞費苦心的去探討，並不像現在喊口號那樣輕鬆。在他的意念中，我們不僅要迎頭趕上歐美先進國家，而且要後來居上。並非外國的月亮都是圓的。

在自由方面，台灣於解除戒嚴，終止動員戡亂時期臨時條款後，人民的各項自由已有憲法保障，政府也有尊重人民自由，保障人權的誠意。但在言論自由方面，傳播媒體每每對壞事大事喧染，好事則不易出門。與我們儒家「隱惡揚善」之說，背道而馳，影響民心士氣，莫此為甚，糾正之道，新聞主管當局應以誘導或評鑑之方式，使傳播媒體多報導好事，少報導壞事，因為合理的推論台灣社會應當是好事多於壞事。至於集會遊行的自由，更是濫用，其滋事鬧事情況非常嚴重，此與其說是某一政黨的不守法，不如說執政黨的姑息養奸執法不嚴所致。

在民主方面，　國父孫中山先生老早即看出議會專制的不當，而亟思改正之道，故在他的五權憲法中，是將立法院列爲治權機構，而非政權機構。觀之今天的立法院，有者爲反對而反對，無理杯葛打鬥，損毀公物等惡劣行爲。使堂堂議壇被國際間譏爲馬戲團，是何等恥辱。在發言態度方面，老委員尙有可取者，而增額委員却幾乎無一可取，其對政府首長之質詢，盛氣凌人，毫無禮貌，讓看電視的小學生都不禁要發問，在學校裡老師說對人要有禮貌，在家庭裡，父母說對人要有禮貌，難道當了立法委員就比行政首長大幾輩，不必講禮貌與尊重別人的人格了嗎？換言之，一個委員連對人的起碼禮貌都不懂，遑論國家大事？眞是可恥可恨。但是行政首長們也要爭點氣，也要有風骨，不要爲了保官，而失掉了政務官的風範。凡事要盡心盡力主動去做，不要等委員們罵著才辦事。

在均富方面，資本主義國家，是透過稅捐及社會福利制度，以平衡個人財富，保障個人基本生活。在台灣早期土地改革，安定農村，獎勵儲蓄投資，發展工商，做得很成功，故創造了今日的經濟奇蹟，但貧富差距却日漸擴大，究其原因，在於稅捐制度未臻完善，逃漏情形嚴重，平均地權漲價歸公做的不澈底，有者往日佃農，今日億萬豪富，諸多情況未能防患於未然。致大財團炒作房地產，投資公司非法營業，股市狂飆，甚至官商暗中勾結，造成國家社會的嚴重傷害，在在須要拿出辦法改善，欣見財政部王建煊部長主政以來，對整頓稅收，獵取逃漏卓著績效，假以時日，必當有所建樹。並相信行政院在郝院長的領導下必能建立廉能政府，去弊興利，再創造佳績。

在大陸方面，以往毛澤東的暴政，漸成過去而逐漸在改革，以均富而論，其土地已收歸國有，將「所有權」與「使用權」分開，使土地因社會進步的增值，可為人民共享，與　國父孫中山先生耕者有其田的理想相吻合，這一點已形成了一大特色，但一黨獨大，一黨專政，易造成特權及官僚資本，成為人民革命的對象，必須澈底改革。

總括言之，自由、民主、均富是相輔相成的。國父孫中山先生特別强調「立足點的平等」，而不是「平頭的平等」，自由、民主國家，之所以經濟繁榮，人民生活水準高，其主要原因，是大家立足點平等，公平競爭，使整個社會充滿朝氣與活力，大家創造出財富後，才有所謂「均富」，而共產國家，强調「平頭的平等」，扼殺了公平競爭，使整個社會死氣沉沉，缺乏向上衝刺的活力，整個社會都在鬧窮，大學教授、高官們的待遇，還沒有資本主義國家失業救濟金高，這樣的社會，永遠是在「均貧」中掙扎，根本談不到「均富」，中共所說的，到公元二千年，大陸國民所得翻幾翻，若不從體制上改革，恐怕很難兌現，即使兌現了，也必然是大陸翻二翻，自由民主國家翻四翻，大陸永遠追不上。

十三、中共提出要建設「有特色的社會」主義國家，其內涵如何？方法如何？步驟如何？同樣的未具體描述，但顧名思義，其强調「特色」二字，一定是比別的國家好的特色，而不是壞的榜樣，其追求進步的觀念，顯然比死硬的堅持好，此與　國父孫中山先生强調迎頭趕上，後來居上的進化觀念是相通的。

事實上今日世界各國，找不出一個國家是在實行什麼純粹的主義。資本主義國家，必須辦好社會福利制度，讓强者負擔稅收，濟助弱者，否則其社會必定動亂。在台灣所實行的也不是純粹的三民主義，其實　國父孫中山先生是教我們「進化」，沒教我們「固步自封」，我常常在想，若他活到現在，他的三民主義，一定會經過修正，另有新的版本問世。可以想像者，在他的時代，尚未發明電視、電腦，人民直接投票選總統，在技術上確有困難，而在今天，他一定會贊成直接選總統。

在大陸，所實行的也不是純粹的共產主義。在毛澤東時代，鄧小平先生被稱爲走資派，他復出主導改革，當然希望把中國改革的比其他國家都好，但是毛澤東所留下的爛攤子，及十餘億人民等飯吃，再大的本領，一下子能夠翻天嗎？如果你是鄧小平，你能把大陸改得更好嗎？再說中共的中生代、新生代，誰不羡慕資本主義國家及台灣今日的生活。而國民黨領導階層却忽視大陸這些轉變，老是在强調中共的某些堅持，總是在爲拖延統一找理由、作文章。

十四、中共既批評我政府在國統綱領中「設限」，那就本身先作榜樣，放棄自己的一切設限，以友好的態度，主動要求來台訪問，並邀請台灣執政黨到大陸訪問，看看這種友好的訪問，能不能導引談判的契機。這種友好的表示，如國民黨不肯接受，那就照我所說的先從自我改起，大家都尊奉 國父孫中山先生的革命建國法統，那國民黨還有什麼話可講。也惟有如此才能解決問題。中國才有光明的前景。

十五、展望未來，中國的統一，已展現曙光，現在，兩岸正在結束紛爭，慢慢的向統一之路走，相信，總有一天會成功。統一後的中國，將益形强大，在國際間扮演重要角色，使我們的國民揚眉吐氣。有人說二十一世紀是中國人的世紀，我們有理由相信，分析言之：

一、當前蘇聯，內政問題嚴重，國際地位削弱。美國於波斯灣戰爭勝利後，國際領導地位提高，其伸張正義，維護世界和平的精神及貢獻，舉世無比，所以可說這是美國人的世紀。我們想趕上美國，超過美國，必須取人之長而去己之短。

二、外交是內政的延伸，美國是兩黨政治，由「民主黨」暨「共和黨」交互執政，比較有進取精神，比多黨林立，政潮起伏的國家好。我們一方面不否定各黨的合法存在，一方面也要有計劃的誘導向兩黨政治發展。

三、科技是國力的最佳本錢，我們必須積極培養科技人材，蔚為國用，並使國防科技與工商業科技相結合，努力追趕美國。

四、中國傳統文化，是主張以「仁政」、「王道」治國平天下，較之美國的功利主義為優，應發揚光大，擴展影響力。

五、美國的種族，有黑白之分，表面上相安無事，但骨子裏難免有隔閡與歧視。我中華民族，同文同種，沒有膚色之分，智商亦不比美國低，綜合言之有其優越性。

六、我們的天然資源及人力資源都很充足，同時大陸已將土地收歸國有，各項公共建設，土地取得容易，可迅見事功。

根據以上的分析，我們的綜合條件並不比美國差，問題的關鍵，在於我們能否早日統一，集中人力物力建設國家以走上現代化。

中華民國八十年六月一日

國家統一的「阿兵定理」

這個題目，是本書的完結篇，本來這一篇可以不要，因為以上各篇對國家統一應走之路已說得很清楚，不必再囉嗦。但擱筆之前，猶感國家統一的課題實在太大，非讀書不多、阿兵哥出身的我，所能有所影響。必須有賴高級知識份子的積極發揮輿論力量，讓兩岸決策階層，導正方向，積極推動。記得丁文江曾寫過一篇文章「假若我是蔣介石」。傅斯年曾寫過一篇文章「這樣的行政院長，應請他下台」。蔣廷黻曾撰文批評北平市長某某上任第一把火即取締賭博，將大政之輕重緩急倒置。胡適於國家危急之秋寫信給毛澤東勸他放棄叛亂，這些都是高級知識份子文章報國的顯例。而今天在台灣，却未見到一位高級知識份子以「假若我是蔣經國」或「假若我是李登輝」等類似文章批評高層，提出建設性的意見。更沒有一位大學教授及校長寫封信給鄧小平勸他釋放「六四」民主鬥士，實行體制改革。難道我們的高級知識份子也被功利主義衝昏了頭腦，都在明哲保身？

無疑的，現在，是國家統一，成敗榮辱，存亡絕續的歷史轉捩點。我們必須集中智慧，凝聚民心，迎接中共的一切進逼與挑戰。必須眞理戰勝邪惡，以良汰劣，中國才有希望。

爲提綱挈領，現在，將我對國家統一的基本看法，濃縮爲「阿兵定理」如後：

1. 國家統一的基本原理，是我們的國家明天比今天更好。
2. 國家統一＝大陸＋台灣。
3. 國家統一後國力的消長則爲：
(1)大陸＋台灣＝X。
(2)X之值可能大於今日大陸與台灣國力之總和，即統一後力量相生相長。

(3)X之値可能小於今日大陸與台灣國力之總和，即統一後力量相克相消。

4.國家統一後國力的消長，取決於統一於何種法統與制度之下。

(1)國家統一於孫中山先生革命建國的法統制度之下，則國力長。因爲如此可博得全國同胞及華僑共識，進而團結民心，鼓舞士氣，一心一德，群策群力，使國家臻於富强康樂，民生樂利，並以進大同。

(2)國家統一於毛澤東革命建國的法統下，則國力消。因爲如此我中華民族便成爲一個沒有是非，沒有眞理正義的民族，無法建立共識，使台灣、香港原有的繁榮無法維持，內爭無法平息，終必革命再起。

(3)若以國家統一綱領去統一，是走著瞧，法統不確定。今國人迷惘，自然對國統綱領反映不熱烈。

以上的國家統一定理，是否正確，不難以科學方法求證。但我的力量不夠，只好希望中共能提出解答。請問中共，你們能提出反證，推翻我的定理嗎？若不能，那我的定理便成立，只待實行。

中華民國八十年七月二日於台北市

附錄一

上蔣總統經國先生書

——中華民國七十三年六月六日於台北市

鈞座就任中華民國第七任總統伊始，舉國歡欣鼓舞之餘，謹本於關心國事之誠，略陳幾點淺見與建議：

一、先總統　蔣公繼承　國父遺志，除建立了不朽的功業外，更在思想著述方面投注了很多心力，留下了豐富不朽的貢獻，如以「力行哲學」與「知難行易」學說相輔相成，以「倫理、民主、科學」詮釋三民主義的精義……等等不勝枚舉。此種文化精神層面的成就與啓示，對於做爲一位領袖人物而言，是非常重要。

二、現在　總統繼二位先賢，不僅爲國家元首，亦爲黨所擁戴的革命領袖，如何承先啓後，開創國家光明的前途，寫下歷史新頁，正處於極爲重要的關鍵時刻。　總統以往公忠謀國，勤政愛民，所締造的輝煌政績不必多言，而擺在眼前最重要的課題，莫過於爭取主動，粉碎中共和平統戰的陰謀。眞正做到政治反攻，創機造勢，贏得反共鬥爭的最後勝利。

三、政府一般施政與國防建設，都在既定的目標與方針下運作，　總統儘可寬心，對人相信，對事少問，而集中精力並立即登上對敵心戰與政治反攻的司令塔，精選羅致第一流的學者專家，進行研究策劃，付諸積極作爲，凡重要文獻最好以　總統或　總統個人著述方式發表，以擴大號召力與影響力。

四、先總統　蔣公曾著有「蘇俄在中國」問世。　總統最好以「中共在大陸」與「國民黨在台灣」兩書問世，以具體的史料與春秋之筆，讓世人澈底明白中共禍國殃民的眞相，與台灣的進步繁榮實況，以澄清歷史，發揮宣傳效果。

五、共產思想已經破產，共產黨員等於失去了靈魂，在思想上解除了武裝，實在沒有什麼好怕的。我們應清清楚楚明明白白的告訴他們，我們要埋葬的是馬列主義與毛澤東邪說，而非埋葬共產黨員，而歡迎他們大澈大悟，棄暗投明，向著自由、民主的大道邁進。

六、中共所提通商一節，似不妨聽聽我工商界領袖們的意見，假若可以找出一條與我們有利甚至互利的路可走，那有何不好。因爲我們不去做生意，其他民主國家也在搶市場。原則上我們除追求臺灣的進步繁榮外，也應樂意見到大陸同胞生活的改善才是，再默察民情，對政府取締走私匪貨付之一炬的做法大有不以爲然者，並對政府有惡感。

七、國父言「和平奮鬥救中國」，先總統　蔣公言「七分政治，三分軍事」，本質上都是主張和平，戰爭乃爲迫不得已，故對中共除應力求臺灣各方面之進步以與挑戰外，似應笑臉來，笑臉去，鬥智不鬥氣，盡量利用或設法建立管道，使臺灣自由、民主的空氣輸送到大陸，讓大陸共幹與人民更瞭解與嚮往臺灣的進步繁榮與生活方式。

八、目前政府以三民主義統一中國為號召，似不夠具體。應進而參照國父建國大綱之架構，由　總統手訂「和平統一中國綱領」公諸於世，廣為宣傳，以喚起國人與國際間的共識與認同。並根據　總統此次就職致詞所昭示「有所為，有所不為」及「有所變，有所不變」的原則試舉該項綱領數條如後：

㈠現行中華民國憲法為經由法定程序，代表全民意願所製訂之國家基本大法，亦為治國之寶典，不分黨派均應遵守。

㈡基於民主政治之常軌，國內各黨派應以和平方式解決歧見與參政。

㈢毛澤東過去領導共產黨以叛亂非法手段，竊據大陸，其禍國殃民的暴政為人民所共棄，絕不承認其為合法政權。

㈣三十餘年來中華民國政府在臺灣之施政造成進步繁榮與安和樂利的社會，與中共暴政形成強烈對比，事實可以肯定，以三民主義為導向之自由民主憲政爲適合世界潮流，合於中國國情，使國家走上富强康樂必由之路。

㈤當今共產黨人所謂經濟學臺灣更應政治學臺北，即採取步驟積極仿傚推行，進而宣示澈底揚棄共產主義，必要時本政府願以適當方式予以協助向此目標推進，共謀造福人民。

㈥俟大陸眞正走上自由民主開放的社會，國民教育相當普及，一切狀況與臺灣接近時，本政府願透過各政黨協商並依據中華民國憲法進行各項公平、公開、公正選舉，以組織各級政府，實行和平統一憲政之治。

以上各點限於學植疏淺，掛一漏萬之處在所難免，自有待延請學者專家從詳研究充實，期能完整周延。深信政治固然是現實的，但必須有遠大的理想作引導。目前我們熱切的希望，是　總統領導著我們回大陸，縱然現在一時不能回去，也希望能在　總統英明的領導下把通往大陸的勝利之路開闢出來。

更進一步講，在核子時代的今天，政治家們都在努力尋求和平，而避免戰爭給人類帶來毀滅性的災禍。我們對中共自然也應標榜和平，爲此不僅不會打擊與影響民心士氣，反而會安定民心士氣，因爲我們的理想是崇高的。萬一不幸走上了戰爭，那戰爭的責任應讓中共去負，因爲我們已提出了「和平統一中國綱領」，而且此綱領是讓中共向自由民主憲政投降，而絲毫未軟化我們的反共立場，與先總統　蔣公「堅守民主陣容」的遺訓並不違背，是否有當。謹祈

睿察

上李總統登輝先生書

——中華民國七十九年三月卅一日於台北市

長久以來，國人每感政府的大陸政策不夠明確積極，余身爲黨員責任感所使，乃先後於本黨十二全大會時建言參照　國父建國大綱之架構策訂「反共復國綱領」。經國先生就任第七任總統之初，又曾上書建言請手訂「和平統一中國綱領」，嗣於十三全大會前復擬具「和平統一中國綱領」草案送請中央日報彙轉中央採擇，惜職低言微，未爲當局所重。概事豫則立，不豫則廢。今台獨意識高漲，政局紛亂，民心浮動，社會不安，倉促間宣佈召開國是會議，可預見者此次會議若召開成功，則表示民進黨胡鬧有效，無形中提高其聲勢，若召開失敗，則一切歸咎於本黨。故愚見凡事應爭取主動，若干

大政方針應在　鈞座就任第八任總統時即明確宣示，否則等國是會議後再說，則榮譽威信盡失矣。

鈞座日前宣示六年內有機會回大陸一節，盱衡當前國內外情勢相信自非空言。爲給國人明確交代，愚見在　鈞座就任第八任總統時即應具體申明——欲謀國家統一，必先確立一部憲法，否則只談枝節問題，於事無補。就職後當立即責成邀請國內外學者專家成立憲法專案小組，以超黨派之立場，根據四十餘年來台海兩岸實行不同制度的經驗，順應民主潮流，兼顧大陸土地國有之現勢，深入研究，提出憲法修正或新訂草案，俟草案醞釀成熟時，再透過政治協商，公民表決等方式付諸實施，以使國家和平統一。爲表示決心，並定時間歌曰：「一年起草，二年醞釀，三年協商，四年通過，五年選舉，六年成功」。

前段所謂兼顧大陸土地國有之現勢，概因大陸土地公有私用已爲既成事實，此與　國父平均地權，耕者有其田，照價收稅，漲價歸公，地利共享之主張暗相吻合。記得來台後閻錫山先生曾發表專論認爲　國父耕者有其田政策欲實行得好必須土地國有。未來國家統一與台灣土地私有制可並行不悖。又卅八年來台後先總統　蔣公定反攻大陸時間歌曰：「一年準備，二年反攻，三年掃蕩，五年成功」。此在當時顯然並無把握。然　蔣公整軍經武，勵精圖治，生聚教訓，以振民心士氣之意志力，卻表露堅定不移，事總未成，誰曰　蔣公亂開空頭支票。今默察大勢，共產主義破產，東歐共產政權紛紛垮台，相繼走向民主改革。我們允宜趁此大好機會，掌握主動，以民主憲政爲號召，向中共發動和平攻勢，俾能博得共識，一新耳目。

臨書至誠期待，　鈞座本任期內的大政方針明確成功，重振本黨聲譽，使國家統一後舉行第一次大選時本黨能順利贏得勝利，以奠立國家長治久安之宏規。

以上所陳當否？謹檢具所擬　主席交中常會討論議案如附件，敬祈

睿察

李主席交議

案由：邀請國內外學者專家，組成憲法專案小組，以超黨派立場，著手研究中國統一憲法修正或起草新憲法，俾利推動和平統一一案。

說明：一、中國和平統一問題，應從憲法談起，否則只談枝節，於事無補。

二、統一後之憲法應根據四十餘年來兩岸實行不同制度的經驗，順應民主潮流，兼顧大陸土地國有之現實，並體認　總理中山先生融合古今中外之長，後來居上之進化理念，力求進步，周延、完美。

三、此案之進度時間可曰：「一年起草，二年醞釀，三年協商，四年通過，五年選舉，六年成功。」

辦法：俟修憲或新憲草案完成後，一方面廣爲宣傳醞釀，以探詢民意，並考慮函送中共當局提出書面意見，俾再斟酌，俟一切成熟時，即推動召開全國政治協商會議，以求達成協議，並進入民主立憲程序，通過實施，使國家臻於和平統一。

附錄三

國是建言

——中華民國七十九年十月二日上行政院郝院長柏村先生

一、故　總統經國先生就任第七任總統伊始，曾上書請參酌　先總統蔣公著述「蘇俄在中國」之用心，撰寫「中共在大陸」、「國民黨在台灣」兩書問世。讓世人印證史實，判明是非。並進而參酌　國父「建國大綱」之架構，手訂「和平統一中國綱領」，以承先啓後，開創新局。惜乎天不假人，未見採行。今天我們强調台灣經驗，不能空口白話，應當請史學家將這段珍貴的歷史加以整理出版，呈現於國人面前，讓兩岸人民共作見證。

二、關於國家統一問題，在策略上應爭取主導，該堅持的堅持，該放鬆的放鬆，該說的說，該做的做，必須明快，不能坐失良機。凡事最好先出題目讓中共解答，而不要老讓中共考我們。現在我們最好明白的向中共透露：

1.歷史已肯定　中山先生的革命，請其改用中華民國之國號及國旗，首先使國家象徵性的統一，俾其他問題能有談判的空間。記得記者訪問錢穆大師，詢以國家統一問題，他即說應先把國號統一（註一），其他可慢慢談。這話實言簡意賅，值得我們深思。蓋我們的國號國旗，代表著光榮的歷史與眞理正義，如果被丟在我們這一代人的手裡將使法統中斷，實無以對　國父在天之靈，更無法向歷史交代，而成千古罪人。試想這是何等嚴肅的問題，可說比任何問題都重要。

2.籲請中共澈底覺醒，決心與毛澤東時代邪惡血腥的歷史劃清界限，以昨死今生的精神，面對現實，改組「中國共產黨」爲「社會民主黨」（註二）。讓各黨派攜手合作，公平競爭，共同締造適合國情，順應世界潮流，自由、民主、富强康樂的新中國。余總認爲我們要中共放棄共產主義，放棄四大堅持的說法，會令他一時無下台階，也難放棄特權，而成爲和平統一的障碍，實不明智。深信潮流所趨，民心所向，中共終將步其他共產國家的後塵，走向體制改革及自由民主坦途，否則必將自取滅亡。更明白的講，只要我們的法統能延續下去，統一後的中國誰來執政並不必擔心。又在時間因素上，我們必須有迫促感，拖下去對我們並不見得有利。因爲中生與新生代的人，所重視者爲自由民主的體制，而法統觀念淡漠，甚至都想成英雄，另起爐灶。

三、關於憲政及國會改革問題，余認爲決策當局，自始即理念不清，於不知不覺中向民進黨的抗爭低頭而被牽著鼻子往台獨的路上走。所謂老國代及立監委不具民意基礎惟有增額者才具民意基礎的論調並不正確，因爲其所代表者爲全中國而非台灣一地區。試想若我們的總統及立監委皆由台灣直接選出，屆時中共以「台獨」之名興師問罪，便師出有名，是何等危險。所以在國是會議之前余即建議　李總統登輝先生掌握機先於就職之初即向中央常會提案，邀請國內外學者專家以超黨派立場及適應中國統一爲著眼，研議憲法起草或修正案。經醞釀成熟後再透過政治協商會議（當然也邀請中共參加，過去在大陸也曾邀請），尋求達成協議。再循民主常軌通過實施，進而促成國家統一，惟有如此才是正途。屆時若中共仍持敵對態度，而拒不參加，則我們可於廢止動員戡亂時期臨時條款後，而以非常時期臨時條款代之。如此誰能指有「台獨」情結。不此之途，相信我們的憲政改革便糾纏不清。

四、關於民主政治改造問題，看了選舉時的花招百出，造成社會動亂，及金權掛帥，貧者無以問政。看了立法院的無理取鬧，議事效率低落，我們便會意識到民主政治必須改革，而且必須尋求新方向，以駕乎歐美先進國家之上。以余之構想爲求權責分明，在總統及立法委員之選舉，可先由選民根據各政黨之政綱，投票給政黨，先選出執政黨。再由執政黨之黨員就本黨之候選人選出總統、副總統及立法委員。而監察委員則由反對黨比例選出。另立法院可給予反對黨一定比例的諮詢席次，使只有發言權，而無表決權。如此則無民主政治之弊，而有民主政治之實。

五、關於地方自治問題，爲破解中共的「一國兩制」，民進黨的「台灣自決」，及海外人士所倡議的「邦聯」，我們必須依據憲法加强實施地方自治。從速開放省市長民選，並派考察團考察美國州政府與聯邦政府的權限劃分，做爲我們强化省市自治的借鏡，以消解異端於無形而維護法統。

六、關於本黨之屬性問題，基本上現在「革命尚未成功，同志仍須努力」，最重要者來自共產黨的威脅尚未解除，我們以普通政黨性質無法對抗，所以不能輕易改變。

七、關於政務官之選拔問題，因本黨一向執政，給人印象老是那幾個人搬風，圈子太小。蓋中興以人才爲本，何謂人才，其客觀標準必定在社會某一方有傑出的表現與成就，先天上即具有公信力。絕不能讓默默無聞，對社會國家無所貢獻的人一步登天，而被視爲黑馬，先天上不具公信力。同時也不一定完全由黨內人士充任。如過去行政院副院長王雲五，教育部長梅貽琦等。至政務官之退路除其生活特別清苦者外，原則不予安置。

八、行政院長一職，地位重要，培養不易，對其沉重的工作負荷，及決策品質之提高必須改善。

1.較長的施政報告，可請儀態好，口齒清楚的小姐宣讀，再做重點說明。以免體力精神不夠，勉强支撑出毛病，造成國家重大損失。同時國語不佳的院長何必使大家聽得難受。

2.增設院長特別助理，如經濟事務助理，財政金融事務助理，內政事務助理，交通事務助理，教育事務助理，法律事務助理等等可視實際需要，羅致專任或特約兼任之傑出人才，對各部會所提計劃及法案詳細研究過濾，提供意見做院長核定之參考，以免決策錯誤，浪費公帑。

3.請院長定期休假及體檢，以爲國保重。

【附　註】

註一：本黨十三全大會時余即提出呼籲將國號國旗統一建言，錢穆大師談話在後。

註二：本黨十三全大會時余即提出呼籲中共改組爲「社會民主黨」在前，朱高正擬組社會民主黨在後。

附錄四

中國統一建設促進會宣言

——中華民國七十七年十一月十二日於台北市成立大會通過

壹、緣起

中華民族建國垂五千年，始終向大一統中國奮勵邁進。台灣與大陸雖經過近四十年之對峙，雙方同胞均渴望早日促進國家之統一，民心趨向如此勢在必行必成。因而吾人確認：中國統一利益高於一切，任何黨派、團體、地域、個人等單獨利益的追求，均不宜妨礙國家統一政策的推行。至於如何走上統一之路，雖眾說紛紜，尚無定論，但臺灣與大陸雙方均採取了一些開放措施，已使國家統一展現一線曙光。尤其執政黨十三全大會通過的現階段「大陸政策」，提出「立足臺灣，放眼大陸，胸懷全中國」，其企求統一的指向，已極其明朗堅決。目前雖仍維持「三不」，而在實施方法上，卻希望在民間組織的基礎上，跨出穩健的步伐，故特別於大陸政策方案之執行上列明「支持有關民間組織，配合現階段大陸政策，進行工作與活動」。同時大陸方面亦透露，中國統一正是有識之士、知識份子共同追求者。我們深信由兩岸民間意識的覺醒，民間組織的發展，當可結合力量，尋求適當方法步驟，打開和平統一的死結，從而以前瞻性、整體性的眼光，對全國政治、經濟、社會、文化等項建設作持續性的積極規劃與推展，必能恢宏中國大統一的光榮，爲萬世開太平，爲子孫造幸福，爲世界謀和平。本會依此信念，願以民間組織的立場，與全中國同胞共同努力，促使統一大業早日實現。

貳、我們的認識與努力

我們確認安全的保障爲全民所需要，但亦認識到武力解決不了政治、思想、文化問題。而意識型態也必須與時俱新，好的發揚光大，壞的徹底揚棄，以客觀理性的態度，面對現實，解決問題。以下就是我們的基本認識與努力方向：

一、**國家至上，統一第一**：國家利益應高於黨派、地方利益之上，當前國家之最高利益莫過於統一。所以排除武力奪權，暴力鬥爭，分裂國土等危害國家利益的言行，實爲雙方當務之急。

二、**化解敵意，和平競進**：統一的基本前提首應化解敵意，不是誰要吃掉誰，而是承認彼此共存共榮，從事和平競賽，攜手共進和平統一之域。當前雙方在國際社會活動中，亦應避免彼此攻擊排斥。

三、**民意爲本法治爲重**：民心傾向自由民主，而不願被奴役控制，乃人性自然。惟自由民主必須以法治爲基礎，建立雙方均能接受的法治規範與社會秩序。

四、民主憲政，統一基礎：民主憲政爲時代潮流所趨，非任何力量所可阻擋。欲謀國家統一民主，必須確立一部順應潮流，適合國情的憲章，應依合法程序民意基礎制定之。

五、政黨整合，運作適當：民主政治須透過政黨的運作，故兩岸各政黨均應以平等身分，和平方式，合法手段，互相競爭，樹立良好的政黨政治規模。所有踰規、脫序、假公濟私堅持獨大的弊端，均須避免消除。

六、臺灣經驗，擴展大陸：海峽兩岸經貿關係，應以互動、互輔、互惠原則，全力促使交流發展。以證明臺灣的前途在大陸，大陸的希望在臺灣。

七、擴大開放，交流觀摩：開放爲兩岸既定政策，應在雙方互利，兼顧全民願望之原則下，繼續擴大，對等互動實施。諸如：探親、觀光、旅遊，召開學術會議，交換學者講學、交換學生就讀、交換記者採訪、及體育、演藝等，以培養和諧氣氛，激勵全面進步。

八、**民族文化，融合動力**：確信中華文化是兩岸統一的基本力量，血濃於水的民族感情是統一的無形保證，我們將全面致力促請雙方恢宏中華文化，振起民族靈魂，俾兩岸同胞精神生命融為一體。

參、我們對促進統一建設的作法

建設必須從國家的整體利益著眼，兼顧兩岸全民福祉，集中經驗智慧，共謀全面發展。因此我們主張，先在民間組織的基礎上，及雙方誠意的配合協助下，立即由兩岸民間組織，學者專家，各界領袖等共同參與或贊助，組織左列各種委員會，統籌規劃、設計、推展。

一、**文化建設委員會**：以發揚中華文化優良傳統，吸取歐美及其他先進國家文化精華，以融合創建中華文化大國。

二、**經濟建設委員會**：以民生為首要，根據　孫中山先生實業計畫之宏圖，臺灣經濟發展之經驗，及自由化、國際化之趨勢，綜合研究發展適合國情需要的經濟制度、方案，以臻於經濟大國之林。

三、**社會建設委員會**：以發揚民族倫理道德，創建全民福利制度，兼顧兩岸社會現況，共同規劃適合國人之現代化生活範式，確實成爲敦親睦鄰，風氣秩序良好的新禮義之邦。

四、**政治建設委員會**：以落實民本政治，順應自由民主潮流，發展適合國情，符合全民願望的政治體制，完成統一大國。

肆、我們的呼籲

中國當今要務，大莫大於全國之統一，急莫急於全國之建設。本會創設伊始，願提出上述各項主張，與全中國同胞共相期勉，並作如下之呼籲：

一、**衡情度勢，順應民意**：中國統一的條件已日趨成熟，現正處於歷史的關鍵時刻。成敗榮辱，存亡絕續，有賴兩岸領導階層，能推誠相見，順應民意，愼謀能斷，導正方向，結束紛爭，共同開啓和平統一之歷史新頁。我們更呼籲兩岸之識者志士，共同奮進，一起爲國家民族之興盛及人民之福祉作千秋大謀。俾竟事功，而符民望。

二、**青年奮起，創造時代**：當茲國事紛亂失調，歷史傳承絕續之際，正是青年挺身而出奮起有爲之時，亟應乘勢創機，作國家統一重建的先鋒。斷然擺脫現實功利主義，以歷史使命感、時代責任感，掀起波瀾壯闊的統一建國運動，爲整個國家民族創造千秋萬世永垂不朽的偉業。

三、**民眾覺醒，團結奮鬥**：民主時代，主權在民，故應珍惜基本權力，選賢與能，汰庸去劣。更盼我海峽兩岸同胞，一致緊密團結，運用各種有效方式，表達我們的意見和力量，決定我們國家的命運與前途。

最後，我們誠懇歡迎全國仁人志士，海內外同胞，踴躍參加本會，攜手並進，共襄盛舉，更籲請各界，多予本會支持指教。深信在所有中國人群策群力奮鬥下，必能促進中國統一大業，早日完成。

作者：山東省牟平（乳山）縣人，十七年生，三十八年來台，在澎湖入伍當兵，曾當選特種二十一黨部委員，四十一年三軍代表大會代表，四十五年因病退伍。嘗以生逢戰亂，年少失學爲憾。惟拜國家考試制度之賜，先後經高檢普通行政、高考人事行政、特考財政金融及格。於四十六年起任公職。業餘習書畫，爲當今書畫家，「中華民國詩書畫家協會會員」，「中國統一建設促進會」理事，「牟平同鄉會」常務理事。

中國統一之路／王天擇著.--初版.--臺北市：
文史哲，民 80
4,78 面；21 公分
ISBN957-547-053-2(平裝) NT$ 100.00

1. 政治 - 中國 - 論文，講詞等

573.07 80002212

中國統一之路

著者：王天擇
出版者：文史哲出版社
登記證字號：行政院新聞局局版臺業字〇七五五號
發行所：文史哲出版社
印刷者：文史哲出版社
台北市羅斯福路一段七十二巷四號
郵撥〇五一二八八一二彭正雄帳戶
電話：三五一一〇二八
實價新台幣一四〇元
中華民國八十年七月初版

ISBN 957-547-053-2